© Kaléidoscope 2012
11, rue de Sèvres, 75006 Paris
Loi n° 49.956 du 16 juillet 1949 sur les publications
destinées à la jeunesse : septembre 2012
Dépôt légal : novembre 2013
ISBN 978-2-877-67742-4
Imprimé en Italie
Diffusion l'école des loisirs
www.editions-kaleidoscope.com

SANS LE A

LE

MICH ËL **ESCOFFIER**

KRIS **DI GI COMO**

SANS LE

LA **CAROTTE** FAIT **CROTTE.**

LE **BŒUF**
FAIT L'**ŒUF**.

SANS LE

MES **CRAYONS** SONT DES **RAYONS.**

SANS LE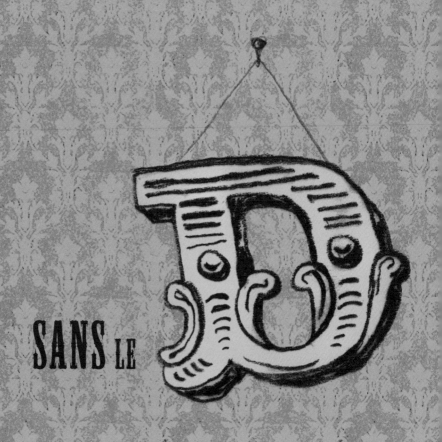

MON DENTIER N'EST PAS ENTIER.

SANS LE **E**

MON GENOU
CROISE UN GNOU.

SANS LE

MES **MOUFLES** SONT DES **MOULES.**

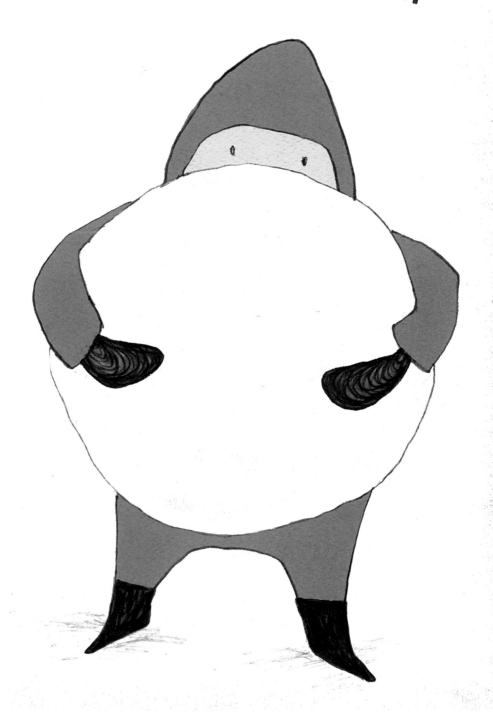

SANS LE

L'AIGLE
BAT DE L'AILE.

SANS LE

LES **CHOUETTES**
ONT DES **COUETTES.**

SANS LE

MA **VALISE**
DANSE LA **VALSE.**

SANS LE

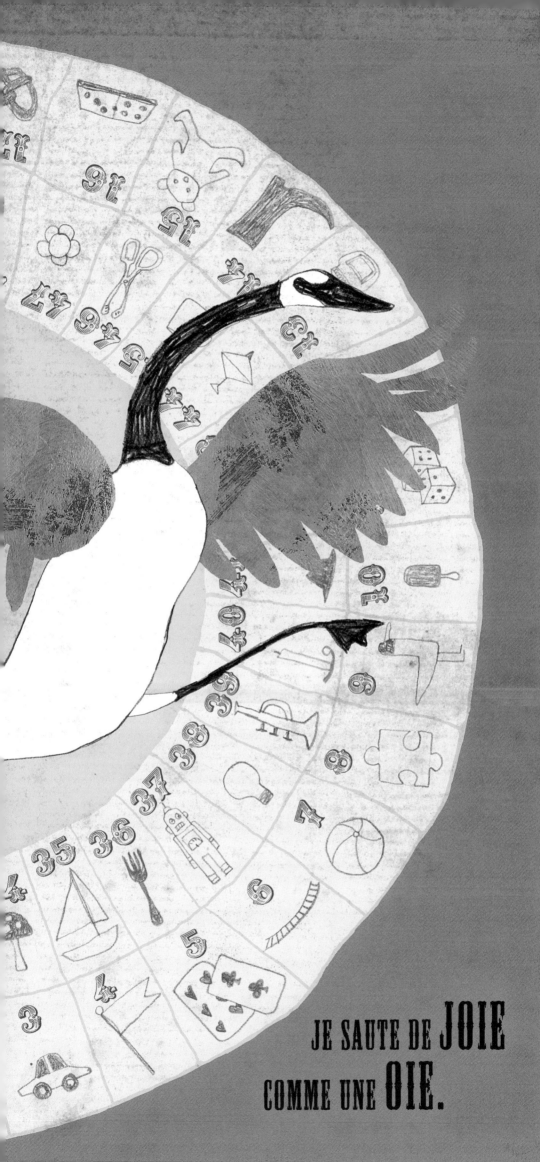

JE SAUTE DE JOIE
COMME UNE OIE.

SANS LE

SANS LE

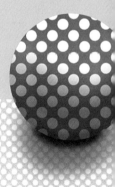

LE POULET FAIT POUET !

SANS LE M

CAMILLE
EST UNE CAILLE.

SANS LE

L'ORANGE
A PEUR DE L'ORAGE.

LE GORILLE
RESTE DERRIÈRE LA GRILLE.

SANS LE P

MON POTAGE
EST PRIS EN OTAGE.

LA MOQUETTE
SENT LA MOUETTE.

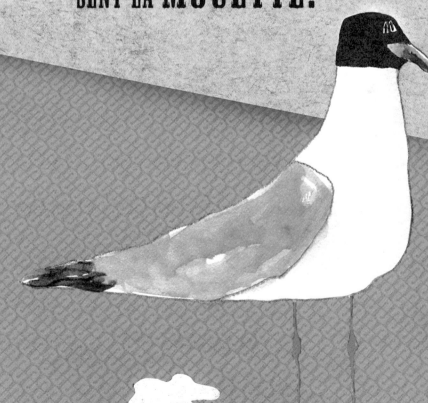

SANS LE

LE **MARIN**
A BESOIN
D'UN COUP DE
MAIN.

SANS le

SANS LE

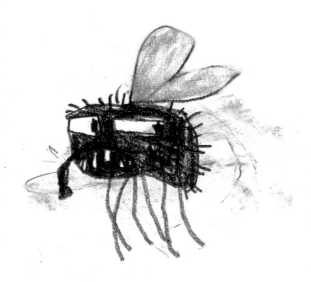

LA **MOUCHE**
EST **MOCHE.**

LE **VEAU** ᴛᴏᴍʙᴇ à ʟ'**EAU**.

SANS LE W

LES **WC**
FORMENT UN **C.**

SANS LE

MON INDEX
PART EN INDE.

SANS LE

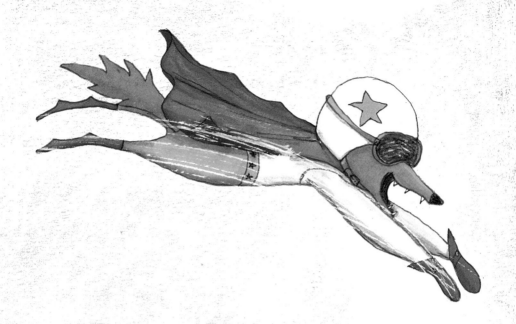

LE **CANYON** RÉSONNE
COMME UN **CANON**.

SANS LE **Z**

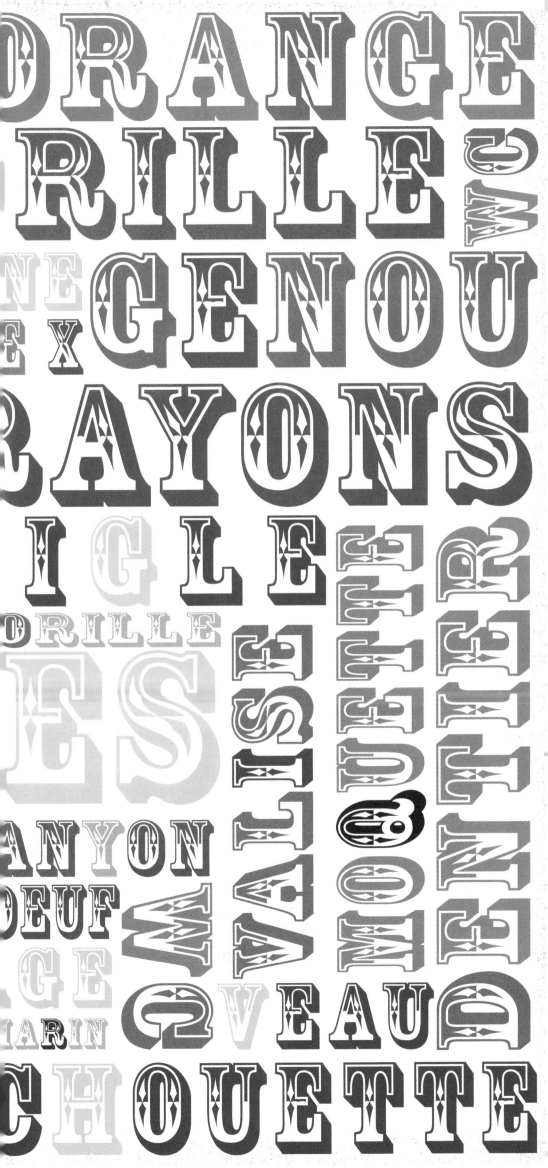

A B C D E F G
H I J K L M N O P Q R S T
U V W X Y Z A B C D E F G H
I J K L M N O P Q R S T U V
W X Y Z A B C D E F G H I J K L M N O
P Q R S T U V W X Y Z A B C
U V W X Y Z A B C D E F G H I J K
D E F G H I J K L M N O P Q R
L M N O P Q R S T U V W X Y
R S T U V W X Y Z A B C D E F
Y Z A B C D E F G H I J K L M
E F G H I J K L M N O P Q R S
M N O P Q R S T U V W X Y Z
S T U V W X Y Z A B C D E F G H
A B C D E F G H I J K L M N O
H I J K L M N O P Q R S T U
O P Q R S T U V W X Y Z A B C
W X Y Z A B C D E F G H I J K L
D E F G H I J K L M N O P Q R
M N O P Q R S T U V W X Y Z
S T U V W X Y Z A B C D E F G
A B C D E F G H I J K L M N O
H I J K L M N O P Q R S T U
P Q R S T U V W X Y Z A B C D E
X Y Z A B C D E F G H I J K L M N